TOB

Yn seiliedig ar *The Railway Serie*

Darluniau gan
Robin Davies a Jerry Smith

RILY

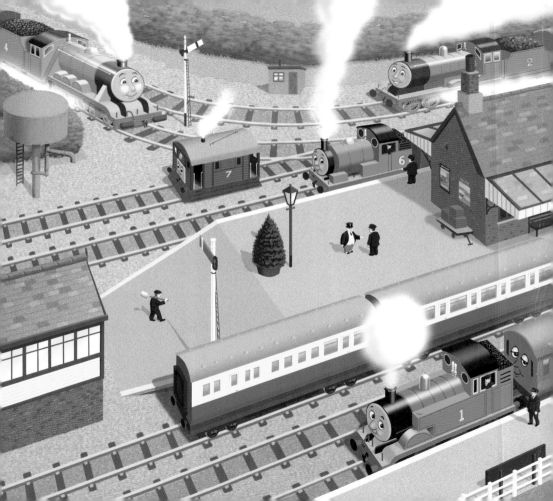

TOMOS A'I FFRINDIAU

"i Daniel, Luc a Josh"

Cyhoeddwyd yr argraffiad Saesneg gwreiddiol yn gyntaf yn 2003
gan Egmont UK Limited, 239 Kensington High Street,
Llundain, W8 6SA dan y teitl *Toby*.

Thomas the Tank Engine & Friends™

CREATED BY BRITT ALLCROFT

Yn seiliedig ar *The Railway Series* gan y Parch. W. Awdry.
© 2003 Gullane (Thomas) LLC. Cwmni HIT Entertainment.
Nodau masnach Gullane (Thomas) Limited
yw *Thomas the Tank Engine & Friends* a *Thomas & Friends*.
Mae *Thomas the Tank Engine & Friends* a'r Dyluniad yn Batentau
wedi'u Cofrestru yn UDA a'r Swyddfa Batentau.
Y cyfieithiad Cymraeg © 2009 Gullane (Thomas) LLC.
Cedwir pob hawl.

Cyfieithiad gan Elin Meek

ISBN 978 1 904357 15 5

Cysodwyd gan Wasg Dinefwr, Llandybïe, Sir Gaerfyrddin

Cyhoeddwyd gan Rily Publications Ltd
Blwch SB 20, Hengoed, CF82 7YR

www.rily.co.uk

Argraffwyd a rhwymwyd ym Mhrydain
gan Argraffwyr Cambrian, Aberystwyth, Ceredigion, SY23 3TN.

Dyma stori am Tobi'r Injan Dram.

This is a story about Toby the Tram Engine.

Roedd Tobi'n hoffi pobl, ond roedd pawb yn meddwl ei fod yn rhy hen ffasiwn.

Toby loved people, but everyone thought he was too old-fashioned.

Teimlai'n drist iawn, ond, un diwrnod, daeth rhywun i'w helpu . . .

He felt very sad, until one day someone came to his rescue...

Injan Dram oedd Tobi. Roedd ganddo lamp wen a phlatiau ochr, a cherbyd o'r enw Henrietta.

Toby was a Tram Engine. He had cow catchers and side plates, and a coach called Henrietta.

Roedd Tobi'n hoffi pobl ac roedd e bob amser wrth ei fodd pan fyddai e'n gallu eu helpu. Roedd e'n injan fach mor siriol fel bod pobl yn hoffi ei helpu yntau, hefyd.

Toby loved people and was always happy when he could help them out. He was such a cheerful engine that people liked to help him, too.

Roedd Tobi a Henrietta'n gweithio ar lein fach ger tref wyliau. Roedden nhw'n gweithio'n galed iawn, yn mynd â thryciau o'r ffermydd i'r Brif Lein.
Ond ychydig iawn o deithwyr oedd ganddyn nhw.

Toby and Henrietta worked on a little line near a holiday town. They worked very hard, taking trucks from the farms to the Main Line. But they had very few passengers.

"Dyw hi ddim yn deg!" cwynodd Henrietta, un diwrnod. "Mae'r bysiau'n llawn dop o deithwyr bob amser, er eu bod nhw'n cael damwain yn aml.

"It's not fair!" grumbled Henrietta, one day. "The buses are always full of passengers, even though they often have accidents.

Fyddwn ni byth yn cael damwain, ond prin y bydda i'n cael unrhyw deithwyr *o gwbl*."

We never have accidents, but I have hardly any passengers."

"Dwi'n methu deall y peth," meddai Tobi, gan deimlo'n drist.

"I can't understand it," said Toby, feeling sad.

Weithiau roedd y bobl ar y bysiau'n chwerthin am ben Tobi ac yn ei alw'n hen ffasiwn. Roedd hyn yn gwylltio Tobi.

Sometimes the people on the buses laughed at Toby and called him old-fashioned. This made Toby cross.

Un diwrnod, stopiodd car wrth ymyl Tobi a neidiodd dau blentyn allan.

One day, a car stopped nearby and two children jumped out.

"Dewch i edrych ar yr injan 'ma!" gwaeddodd y bachgen bach.

"Come and look at this engine!" called the little boy.

Gyda'r plant roedd yna ddyn tew a charedig yr olwg a dwy fenyw.

A nice-looking stout gentleman followed them with two ladies.

"Injan Dram yw honna," eglurodd y dyn llond ei groen. "Math arbennig o drên stêm."

"That's a Tram Engine," explained the stout gentleman. "It's a special kind of steam train."

"Gawn ni reid ynddi hi?" gofynnodd y ferch fach.

"Can we have a ride in it?" asked the little girl.

Dringodd pawb i mewn i Henrietta a chwythodd y Gard ei chwiban. I ffwrdd â Tobi, gan deimlo'n falch iawn fod ganddo deithwyr.

They all climbed into Henrietta and the Guard blew his whistle. Toby set off, feeling proud to have passengers.

"Hip, hip, hwrê!" canai Henrietta wrth fynd yn swnllyd ar hyd y cledrau.

"Hip, hip, hurray!" sang Henrietta as she rattled along.

Roedd y dyn a'i deulu wedi mwynhau'r daith yn fawr. "Diolch, Tobi," medden nhw.

The stout gentleman and his family enjoyed their ride. "Thank you, Toby," they said.

"Pîp! Pîp!" atebodd Tobi gan chwibanu. "Dewch eto'n fuan!"

"Peep! Peep!" whistled Toby in reply. "Come again soon!"

"Fe wnawn ni!" galwodd y teulu, a chodi llaw i ffarwelio.

"We will!" called the family, and they waved goodbye.

Wrth i'r amser fynd heibio, roedd Tobi a Henrietta'n mynd â llai a llai o dryciau at y Brif Lein, a doedd ganddyn nhw ddim teithwyr o gwbl.

As time passed, Toby and Henrietta had fewer and fewer trucks to take to the Main Line, and they had no passengers at all.

Un bore, roedd y Gyrrwr yn edrych yn drist iawn.

One morning, the Driver looked very sad.

"Heddiw yw ein diwrnod olaf ni, Tobi," meddai. "Mae'r Rheolwr yn dweud bod yn rhaid i ni gau fory."

"It's our last day, Toby," he said. "The Manager says we must close tomorrow."

Ar ddiwedd y dydd pwffiodd Tobi'n araf i'w sied. "Dwi'n dda i ddim i neb," meddai'n drist.

At the end of the day Toby puffed slowly to his shed. "Nobody wants me," he said, unhappily.

Ond y bore wedyn, cafodd Tobi syrpréis hyfryd! Roedd y Gyrrwr wedi cael llythyr drwy'r post.

But the next morning Toby had a big surprise! A letter had arrived for his Driver.

"Oddi wrth y dyn tew mae'r llythyr," meddai'r Gyrrwr. "Wyt ti'n ei gofio fe, Tobi?"

"It's from the stout gentleman," said the Driver. "Do you remember him, Toby?"

"Dwi'n ei gofio fe'n dda iawn," meddai Tobi. "Roedd e'n gwybod sut i siarad ag injans."

"I remember him very well," said Toby. "He knew how to speak to engines."

"Dim rhyfedd," meddai ei Yrrwr. "Y Rheolwr Tew oedd e!"

"No wonder," said his Driver. "That gentleman was The Fat Controller!"

Roedd y Rheolwr Tew yn chwilio am rywun i'w helpu ar ei Reilffordd, ac roedd e wedi cofio am yr injan fach hyfryd y cwrddodd â hi ar ei wyliau. Prin y gallai Tobi gredu'r peth!

The Fat Controller needed extra help on his Railway, and he had thought of the nice little engine he met on holiday. Toby could hardly believe it!

I ffwrdd â Tobi a Henrietta ar unwaith. Roedden nhw'n llawn cyffro. Pan gyrhaeddon nhw'r Siediau Mawr, daeth y Rheolwr Tew i gwrdd â nhw.

Toby and Henrietta set off that day. They were very excited. When they arrived at Tidmouth Sheds, The Fat Controller came to meet them.

"Diolch yn fawr am ofyn i mi ddod, Syr!" meddai Tobi.

"Thank you very much for asking me to come, Sir!" said Toby.

"Dwi'n falch dy fod ti yma, Tobi!" meddai'r Rheolwr Tew. "Dwi'n gobeithio y byddi di'n gweithio'n galed a dod yn Injan Ddefnyddiol, yn union fel Tomos."

"I'm glad you're here, Toby!" said The Fat Controller. "I hope you will work hard and be a Useful Engine, just like Thomas."

"Fe wnaf i fy ngorau, Syr!" meddai Tobi.

"I'll try, Sir!" said Toby.

Daeth Tomos draw i ddweud 'helô'. Dangosodd i Tobi beth i'w wneud ac roedden nhw'n ffrindiau da iawn mewn dim o dro.

Thomas came up to say 'hello'. He showed Toby what to do and they were soon very good friends.

Roedd Tobi wrth ei fodd yn gweithio ar Reilffordd y Rheolwr Tew, a chyn hir dysgodd sut i fod yn Injan Ddefnyddiol Iawn.

Toby loved working on The Fat Controller's Railway and he soon learned to be a Really Useful Engine.

Roedd bwthyn bach wrth ymyl llinell Tomos. Roedd y ddynes oedd yn byw yno'n hoffi gweld Tobi a Tomos yn pwffian heibio. Roedd hi bob amser yn codi'i llaw arnyn nhw o'i ffenest.

Next to Thomas' branch line was a little cottage. The lady who lived there liked to see Toby and Thomas puffing past. She always waved to them from her window.

"Mrs Caredig yw honna," meddai Tomos wrth Tobi. "Dyw hi ddim yn teimlo'n dda, ac mae'n rhaid iddi aros yn ei gwely drwy'r dydd."

"That is Mrs Kyndley," Thomas told Toby. "She isn't very well, and she has to stay in bed all day."

"Druan â hi," meddai Tomos. "Trueni na allen ni ei helpu hi." O hynny allan, byddai Tobi a Tomos bob amser yn chwibanu ar Mrs Caredig wrth fynd heibio'i bwthyn.

"Poor lady," said Toby. "I wish we could help her." From then on, Toby and Thomas always whistled to Mrs Kyndley when they passed her cottage.

Un diwrnod, roedd hi'n arllwys y glaw wrth i Tomos ruthro ar hyd y trac a Tobi'n ei ddilyn. Yn sydyn, pwyntiodd Gyrrwr Tomos at fwthyn Mrs Caredig.

One day, it was raining hard as Thomas hurried along the track with Toby following behind. Suddenly, Thomas' Driver pointed at Mrs Kyndley's cottage.

"Mae rhywbeth o'i le!" meddai.

"Something's wrong!" he said.

Roedd darn mawr o ddefnydd coch yn chwifio allan o ffenest y bwthyn.

A big red cloth was waving out of the cottage window.

"Efallai bod angen help ar Mrs Caredig!" meddai Taniwr Tomos. Arhosodd Tomos yn ofalus, ychydig cyn tro yn y trac.

"Perhaps Mrs Kyndley needs help!" said Thomas' Fireman. Thomas stopped carefully, just before a bend in the track.

Rhuthrodd Gyrrwr a Thaniwr Tomos at y bwthyn. Ond pan edrychon nhw o gwmpas y tro yn y trac, sylweddolon nhw pam roedd Mrs Caredig wedi gwneud iddyn nhw stopio.

Thomas' Driver and Fireman hurried to the cottage. But when they looked around the bend in the track, they understood why Mrs Kyndley had stopped them.

"Tirlithriad!" meddai'r Gyrrwr. "Mae Mrs Caredig wedi achub ein bywydau ni!"

"A landslide!" said the Driver. "Mrs Kyndley has saved our lives!"

Roedd Mrs Caredig wedi gweld y tirlithriad, ac wedi chwifio'i gŵn gwisgo coch allan o'r ffenest, i rybuddio'r injans am y perygl.

Mrs Kyndley had seen the landslide, and had waved her red dressing gown out of the window, to warn the engines.

Cafodd y lein ei chlirio'r diwrnod canlynol, a phwffiodd trên arbennig iawn ar hyd y cledrau tuag at fwthyn Mrs Caredig.

The line was cleared the next day, and a very special train puffed along the branch line towards Mrs Kyndley's cottage.

Yn gyntaf daeth Tobi, wedyn daeth Tomos gydag Annie a Clarabel, a Henrietta oedd yr olaf. Roedd y Rheolwr Tew yno hefyd. Roedd pawb eisiau dweud 'diolch' wrth Mrs Caredig.

First came Toby, then Thomas with Annie and Clarabel, and last of all came Henrietta. The Fat Controller was there, too. Everyone wanted to say 'thank you' to Mrs Kyndley.

Pan gyrhaeddon nhw'r tro yn y trac, stopiodd y trenau. Dringodd y bobl allan a cherdded at y bwthyn. Byddai Tobi a Tomos wedi hoffi mynd yno hefyd!

When they reached the bend in the track they stopped. The people got out and climbed up to the cottage. Toby and Thomas wished they could go, too!

Rhoddodd Gyrrwr Tomos ŵn gwisgo newydd i Mrs Caredig. Rhoddodd y Gard rawnwin iddi ac anfonodd Tobi a Tomos ychydig o lo'n anrheg.

Thomas' Driver gave Mrs Kyndley a new dressing gown. The Guard gave her some grapes and Toby and Thomas sent some coal as a present.

"Fe hoffai'r injans a minnau roi'r tocynnau hyn i chi gael mynd ar daith i lan y môr," meddai'r Rheolwr Tew. "Gobeithio y byddwch chi'n gwella yn yr haul a'r awyr iach!"

"The engines and I would like to give you these tickets for a trip to the seaside," said The Fat Controller. "We hope you will get better in the sunshine!"

"Rydych chi'n glên iawn!" meddai Mrs Caredig.

"You are very kind!" said Mrs Kyndley.

Chwibanodd Tobi a Tomos i ddweud 'diolch yn fawr'! Teimlai Tobi'n hapus iawn ei fod wedi dod i weithio ar Reilffordd y Rheolwr Tew. "Hip, hip, hwrê!" canodd Henrietta.

Toby and Thomas blew their whistles to say 'thank you'! Toby felt very happy that he had come to work on The Fat Controller's Railway. "Hip, hip, hurray!" sang Henrietta!

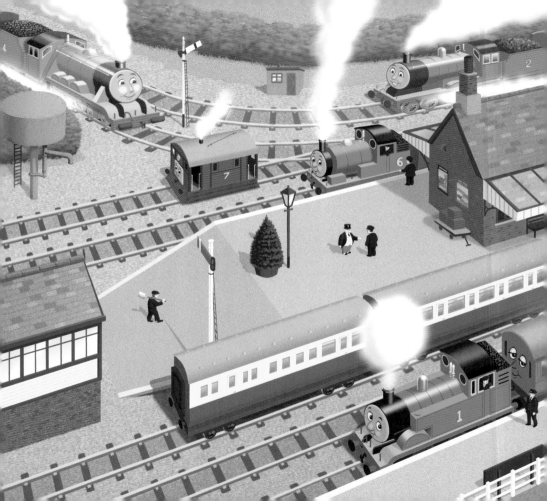

Llyfrau newydd dwyieithog eraill gan Rily

Other new bi-lingual books available from Rily

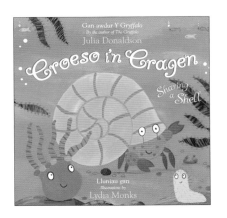

www.rily.co.uk